ESCENAS MEXICANAS

La familia
Marín

ESCENAS
MEXICANAS

La familia
Marín

MARSHALL J. SCHNEIDER
Bernard M. Baruch College,
City University of New York

HOLT, RINEHART AND WINSTON
New York   Toronto   London

ILLUSTRATIONS by Bert Tanner.

Reproductions of the old clay stamps which appear on the cover and throughout this book, courtesy Jorge Enciso, author of *Design Motifs of Ancient Mexico,* copyright 1953 by Dover Publications, Inc.

Library of Congress Catalog Card Number: 70-140662

Printed in the United States of America
ISBN: 0-03-085370-2

4567   008   987654

Preface

La familia Marín, the first reader of a three part series entitled Escenas mexicanas, is designed to be used as a supplement to any basic first level program. It can be implemented as early as the third month of the program, depending upon the level of achievement of the students. Although its primary aim is to develop reading skills, the book is also intended to develop the concomitant skills of understanding, speaking and writing Spanish.

La familia Marín gives an inside view of Mexico City, seen through the everyday life of an average Mexican family. Each chapter combines cultural material and human interest through the situations encountered by the characters. Students will be able to read and discuss the stories within the limits of the vocabulary and grammatical patterns familiar to them.

The book is written, for the most part, in the present tense. The isolated instances of the preterite and the imperfect are translated in notes on the same page on which the word appears, as are all other words with which the student may be unfamiliar.

The end vocabulary contains the words used in the book, including idioms and irregular verb forms.

At the end of each chapter is a *Cuestionario* and three other exercises which check comprehension, build vocabulary, and reinforce grammatical patterns. The exercises can either be written or done orally. Some chapters have supplementary cultural notes in English, indicated in the text by an asterisk.

I am indebted to Professor Josefina Romo-Arregui of the University of Connecticut and to Professor Richard A. Picerno of Central Connecticut State College for their valuable suggestions for improving this reader. I would also like to thank my dear friends who live in Mexico City, the Alcalás, a family not unlike the Maríns, for providing me with much of the inspiration to write the book. Most of all, I am deeply indebted to my wife, Linda, whose unending cooperation and constant encouragement have made this book a reality.

MARSHALL J. SCHNEIDER

Contenido

ESCENAS MEXICANAS

La familia Marín

I
La familia Marín

Si pasamos por la calle Luis Moya en el centro de la ciudad de México, podemos ver el edificio en que vive la familia Marín. Los Marín tienen un departamento[1] en un edificio moderno.

Hay cinco personas en la familia Marín. Tienen un perro, Lobo, y un gato, Teodoro, que son verdaderos amigos. Es una familia típica de México. ¡Vamos a conocerlos!

El señor Marín, padre de tres hijos, se llama Ramón. Es gerente[2] de un restaurante muy popular en la Avenida Juárez. El señor Marín puede ayudar a muchos turistas norteamericanos que comen en el restaurante porque habla inglés. Su esposa, Dora, siempre está muy ocupada con todos los quehaceres[3] de la casa. Cuando termina los quehaceres, ella pinta y a veces[4] hace objectos cerámicos.

[1]*departamento* apartment
[2]*gerente* manager
[3]*quehaceres* chores
[4]*a veces* at times

Elio es el hijo mayor de la familia. Tiene veinte años y estudia para arqueólogo[5] en la Universidad de México. Esta profesión es muy popular en México porque hay muchas ruinas de los aztecas, de los mayas y de varias otras tribus indias* de México.

Enrique, el niño menor de la familia, tiene nueve años. Es alumno del tercer año de primaria. Siempre va a pie a la escuela que está cerca del departamento. Admira mucho a Elio. Enrique también desea ser arqueólogo.

Los dos hermanos quieren mucho a su hermana, Nicté. ''Nicté'' es un nombre común en México de origen indio. Ella tiene catorce años. Es alumna del segundo año de secundaria. Siempre saca buenas notas.[6] Es muy generosa. A veces ayuda por muchas horas a sus compañeros de clase que no comprenden bien sus lecciones. Desea ser profesora.

Ahora conocemos a todos los miembros de nuestra familia mexicana. Siempre tienen aventuras. ¡Vamos a ver lo que[7] pasa!

Notas culturales

Approximately eighty percent of Mexicans are *mestizos*, of both Spanish and Indian ancestry. Fifteen percent are *indígenas*, pure Indians. Many *indígenas*, especially those who live in isolated areas, speak little or no Spanish. About five percent of the Mexican population are from European stock. The Indian culture still has a great effect on Mexican life.

[5]*estudia para arqueólogo*   he is studying to be an archeologist
[6]*saca buenas notas*   she receives good grades
[7]*lo que*   what

CUESTIONARIO

1. ¿En qué calle vive la familia Marín?
2. ¿Cuántas personas hay en la familia Marín?
3. ¿Cómo se llama su perro? ¿Y su gato?
4. ¿Qué clase de trabajo hace el señor Marín?
5. ¿Con qué está ocupada la señora Marín?
6. ¿Cuántos años tiene Elio? ¿Enrique? ¿Nicté?
7. ¿Para qué estudia Elio?
8. ¿Por qué hay muchos arqueólogos en México?
9. ¿Cómo va Enrique a la escuela?
10. ¿Cuál es el origen del nombre Nicté?
11. ¿Por qué es generosa Nicté?
12. ¿Qué desea ser?

EJERCICIOS

A. *Repeat the following sentences substituting the indicated words and making any other necessary changes.*

1. Nosotros vivimos en un departamento.

   La familia Marín / Yo / Ellos / Tú / Vds.

2. ¡Vamos a conocerlos!

   pasar por la calle / sacar buenas notas / terminar los quehaceres / estudiar para arqueólogo

3. Ellos son verdaderos amigos.

   Enrique y Nicté / Vd. y yo / Ellas / Los dos / Vds.

4. El señor Marín se llama Ramón.

   Yo / Mi amigo / Vd. / Tú / Él

5. Él va a pie a la escuela.

   a casa / a la universidad / al departamento / a la biblioteca / al parque

6. Ella tiene catorce años.

   cuatro / doce / veinte / nueve / treinta y un

B. *Write the Spanish for the English sentence according to the model pair.*

1. Let's meet them!
   Let's see them!

   ¡ Vamos a conocerlos!
   ....

2. His name is Ramón.
   What is his name?

   Se llama Ramón.
   ....

3. He is a manager of a very popular restaurant.
   He is a manager of a very good restaurant.

   Es gerente de un restaurante muy popular.

   ....

4. He is the oldest child in the family.
   He is the youngest child in the family.

   Es el hijo mayor de la familia.

   ....

5. He is twenty years old.
   They are twenty years old.

   Tiene veinte años.

   ....

6. He always walks to school.
   He always walks to the apartment.

   Siempre va a pie a la escuela.

   ....

7. She receives good grades.
   We receive good grades.

Saca buenas notas.

....

8. At times she helps her classmates.
   At times I help my classmates.

A veces ayuda a sus compañeros de clase.

....

C. *Use the following words and expressions to form your own sentences.*

1. vamos a
2. estar ocupado
3. ir a pie
4. los quehaceres
5. a veces
6. estudiar para
7. estar cerca de
8. compañeros de clase

2
El sábado
por la mañana

Hay mucha actividad en el departamento de los Marín los sábados por la mañana. Después de desayunarse, el señor Marín va a trabajar, y los otros limpian el departamento.

La señora Marín necesita toda la ayuda que recibe porque su departamento es muy grande. Tiene cuatro alcobas grandes y una pequeña que nadie usa ahora. A veces alquilan[1] esta alcoba a un estudiante universitario. Hay también dos baños, una sala y una cocina que sirve también de comedor. Para decorar el departamento la señora Marín compra curiosidades*[2] mexicanas de colores vivos.

Nicté y sus dos hermanos están muy contentos hoy, aunque no son aficionados a la limpieza.[3] Mañana van a comer en un restaurante típico de México para celebrar el cumpleaños del señor Marín.

[1]*alquilan*   they rent
[2]*curiosidades*   handicrafts
[3]*no son aficionados a la limpieza*   they are not fond of cleaning

Elio está ayudando a Enrique a limpiar su alcoba cuando ocurre un accidente. Un libro se cae de un estante[4] y rompe[5] el cristal del reloj de Elio. Él sale de la casa para ir a una relojería. Está triste porque su reloj es nuevo.

Unos minutos después, Elio halla una relojería pequeña. Es difícil entrar en la tienda porque está llena de gente. Todos están hablando con el relojero, Armando Díaz.

Elio piensa que nadie va a ayudarlo. El relojero comprende bien a sus clientes y le dice: —¡Qué cara,[6] joven! ¿Por qué está triste?

— El cristal de mi reloj está roto.[7] ¿Puede repararlo?

— Sí, puedo. Tengo muchos cristales, y mientras está esperando, ¿por qué no toma un refresco? ¿Una Coca-Cola?

— Gracias, sí.

Elio está más alegre. Ahora no piensa en el accidente ni en el reloj. Ve que hay muchas botellas de refrescos.

Elio tiene que esperar mucho tiempo. Casi toda la gente de la colonia*[8] entra para hablar con el relojero. Dos jóvenes entran para mirar un reloj que están comprando juntos. Pagan un poco cada semana. Tres semanas más, y van a tener el reloj. Finalmente, el

---

[4]*se cae de un estante* falls down from a shelf
[5]*rompe* breaks
[6]*¡Qué cara . . . !* What a face . . . !
[7]*roto* broken
[8]*colonia* neighborhood

reloj de Elio está listo. Elio da las gracias al relojero, paga y sale contento.

Ya es muy tarde. Elio no tiene que limpiar el departamento este sábado. ¡Todo está limpio cuando regresa!

Notas culturales

Curiosidades, the native handicrafts of Mexico, are plentiful and comprise a wide range of offerings: pottery, embroidered clothing, serapes, clay figurines, dance masks, tiles, woven baskets, toys—there is no end to the list. Native artists make products strikingly similar to those made by their ancestors which can be seen in museums. Pleasing to the sight and appealing to the imagination, Mexican handicrafts capture the spirit of Mexico.

Mexico City is divided into *colonias*. In Spain these districts are called *barrios*. The Maríns live in *El Centro* or downtown. Some *colonias* near them are: *Colonia Juárez*, *Colonia San Rafael*, and *Colonia Cuauhtémoc*.

CUESTIONARIO

1. ¿Qué hace la familia Marín los sábados por la mañana?
2. ¿Adónde va el señor Marín?
3. ¿Por qué necesita ayuda la señora Marín?
4. ¿Cuántas alcobas hay en su departamento? ¿Qué otros cuartos hay?
5. ¿Cómo decora el departamento la señora Marín?
6. ¿Por qué están muy alegres los niños?
7. ¿Qué hace Elio después del accidente?
8. ¿Por qué está triste Elio?
9. ¿Por qué es difícil entrar en la relojería?
10. ¿Qué hace la gente allí?
11. ¿Cómo es el relojero?
12. ¿Qué toma Elio?
13. ¿Para qué entran dos jóvenes?
14. ¿Cuándo van a tener el reloj?
15. ¿Por qué no tiene Elio que limpiar el departamento?

CUESTIONARIO PERSONAL

1. ¿Vive Vd. en una casa o en un departamento? ¿Es grande o pequeño?
2. ¿Cuántos cuartos hay en su casa o departamento?
3. ¿Cuál es el día de limpieza de su familia?
4. ¿Quién limpia la alcoba de Vd.?
5. ¿Quién tiene muchos accidentes en su casa?
6. ¿Cuál es su refresco favorito?

EJERCICIOS

A. *Repeat the following sentences substituting the indicated words and making any other necessary changes.*

1. Hay cuatro alcobas.

   dos baños / una sala / una cocina / mucha actividad / un accidente

2. Los tres niños están contentos hoy.

   alegres / cansados / tristes / ocupados / listos

3. Ellos no son aficionados a la limpieza.

   Nosotros / Vds. / Tú / Los niños / Ella

4. Ellos van a comer.

   La familia / Vd. y yo / Yo / María y él / Nosotros

5. Elio está hablando a Enrique.

   Yo / Su amigo / Nosotros / Ellos / Tú

6. Es difícil entrar en la tienda.

   fácil / imposible / necesario / importante / posible

7. Elio no tiene que limpiar el departamento.

   Yo / Nosotros / Vd. / Los niños / Tú

B. *Write the Spanish for the English sentence according to the model pair.*

1. There is a lot of activity on Saturday mornings.

   There is little activity on Saturday mornings.

   Hay mucha actividad los sábados por la mañana.

   ....

2. The kitchen serves as a dining room.
What serves as a dining room?

La cocina sirve de comedor.

....

3. They are not fond of cleaning.
I am not fond of cleaning.

No son aficionados a la limpieza.

....

4. They are going to eat in a restaurant.
Where are they going to eat?

Van a comer en un restaurante.

....

5. They celebrate the birthday of Mr. Marín.
The students celebrate my birthday.

Celebran el cumpleaños del señor Marín.

....

6. He goes out of the house.
He goes out of the store.

Sale de la casa.

....

7. He thinks that nobody is going to help him.
He thinks that nobody is going to see him.

Piensa que nadie va a ayudarlo.

....

8. Now he is not thinking about the accident.
Now he is not thinking about the watch.

Ahora no piensa en el accidente.

....

9. Elio thanks the watch-maker.
   The watchmaker thanks Elio.

   Elio da las gracias al relojero.

   ....

10. Elio doesn't have to clean.
    Elio is not going to clean.

    Elio no tiene que limpiar.

    ....

3
Las Cazuelas

La familia Marín se despierta temprano los domingos por la mañana. Hay mucho que hacer. Después de lavarse y vestirse los Marín toman un desayuno especial. Elio baja a comprar churros*[1] en El Moro, que está a tres o cuatro cuadras del[2] departamento. Mientras Elio está comprando churros, Nicté está preparando chocolate. El chocolate es extremadamente delicioso.

Antes del desayuno cada uno da al señor Marín un regalo. Hoy es el día de su cumpleaños. Cumple cuarenta y cinco años. Recibe una corbata, una camisa, un suéter, y un libro de su autor favorito. Cuando él se sienta a la mesa todos dicen juntos: —¡Feliz cumpleaños!

Durante el desayuno la discusión es muy animada. Nicté, Enrique y Elio tienen ganas de[3] comer en Las Cazuelas. Hacen muchas preguntas a sus padres. Quieren saber si el restaurante es grande, qué platos se sirven allí, cómo está decorado el restaurante, y otras mil cosas.

[1]*churros* Spanish style fritters or crullers
[2]*a tres o cuatro cuadras del* three or four blocks from the
[3]*tienen ganas de* want to

—Preferimos no contestar sus preguntas,— responde la señora Marín. —¿No pueden esperar? ¿No quieren tener una sorpresa?

—Sí, tú tienes razón, mamá. Podemos esperar hasta llegar al restaurante,— dice Nicté.

Al fin, llega la hora de partir. La familia Marín tiene que salir con cuidado⁴ porque Lobo siempre trata de salir con ellos. Salen del departamento uno a uno, pero Lobo escapa a la calle. ¡Qué lío!⁵ Van a llegar tarde al restaurante. Deben hallar a Lobo antes de irse.

Después de unos veinte minutos, Elio halla a Lobo en la relojería de Armando Díaz. Lobo está muy contento; está tomando un refresco en una taza grande. El relojero explica a Elio que Lobo es su perro favorito y que tiene una taza especial para él. Elio lleva a Lobo a casa. La familia sale y esta vez Lobo no escapa.

Las Cazuelas es un restaurante muy popular. Muchas familias mexicanas comen allí los domingos. Cuando llegan los Marín, tienen que esperar una mesa porque hay tanta gente allí. Finalmente entran en el comedor y se sientan.

Las paredes están pintadas de colores vivos, las sillas también. La comida es siempre excelente y la música de los mariachis,* músicos mexicanos, es divertida.⁶ Los músicos tocan sólo si alguien paga una canción. Para celebrar el cumpleaños de su esposo, la señora Marín pide ''La Paloma,'' canción favorita del señor

----

⁴con cuidado   carefully
⁵¡Qué lío!   What a mess!
⁶divertida   amusing

Marín. Los mariachis rodean[7] su mesa, tocando y cantando.

Los Marín tienen tanta hambre y hay tanta selección que es difícil pedir. Primero el camarero trae platos de tacos y ensalada. Luego ellos piden. La señora Marín, Nicté y Enrique van a tomar pollo en cacerola a la mexicana.[8] El señor Marín desea huachinango en salsa picante.[9] Elio pide bistec. Después de una comida deliciosa, todos están satisfechos y vuelven a casa.

Notas culturales

Churros, which originated in Spain, are a type of fritter or cruller. They are usually eaten for breakfast or in the late afternoon as a snack. *Churros* are made by squeezing dough from a pastry tube into hot fat. They emerge as golden brown loops and are served warm with a sprinkling of sugar.

Mariachis are strolling musicians who wear colorful Mexican costumes: decorative jackets, tight-fitting trousers, large sombreros and bowties. The *mariachi* tradition dates back a hundred years to the time of the French occupation of Mexico, when they often performed at weddings. Their name comes from the French word for marriage.

It was once a popular custom for a young man to hire *mariachis* to serenade his sweetheart outside her home. Today, however, *mariachis* are usually seen only in restaurants, night clubs and at the colorful Garibaldi Square which attracts many tourists.

---

[7]*rodean*   surround
[8]*pollo en cacerola a la mexicana*   chicken casserole Mexican style
[9]*huachinango en salsa picante*   red-snapper in hot sauce

CUESTIONARIO

1. ¿Qué compra Elio los domingos por la mañana?
2. ¿Dónde está El Moro?
3. ¿Qué prepara Nicté?
4. ¿Cuántos años tiene el señor Marín?
5. ¿Qué regalos recibe?
6. ¿Qué quieren saber los niños?
7. ¿Por qué tiene que salir la familia Marín con cuidado?
8. ¿Por qué van a llegar tarde al restaurante?
9. ¿Dónde halla Elio a Lobo?
10. ¿Qué toma el perro?
11. ¿Por qué tienen que esperar una mesa los Marín?
12. ¿Cómo está decorado el restaurante?
13. ¿Qué canción tocan los mariachis para celebrar el cumpleaños del señor Marín?
14. ¿Qué piden los Marín?
15. Después de la comida, ¿cómo están los Marín?

EJERCICIOS

A. *Repeat the following sentences substituting the indicated words and making any other necessary changes.*

1. Hay mucho que <u>hacer</u>.

   preparar / comprar / comer / saber / preguntar

2. El señor Marín cumple cuarenta y cinco años.

El relojero / Ellos / Tú / Vds. / Yo

3. Ellos tienen ganas de comer.

salir / desayunarse / preparar chocolate / sentarse / hacer preguntas

4. Hacen muchas preguntas a sus padres.

sus amigos / sus profesores / mis compañeros de clase / sus clientes / mis padres

5. Van a llegar tarde al restaurante.

a casa / a mi departamento / a la escuela / a la relojería / al café

6. Deben hallar a Lobo antes de irse.

Desean / Tratan de / Quieren / Tienen que / Necesitan

7. Cuando los Marín llegan, tienen que esperar.

yo / la familia / la gente / nosotros / ella

B. *Write the Spanish for the English sentence according to the model pair.*

1. There is a lot to do.   *Hay mucho que hacer.*
   There is little to do.   ....

2. It is three or four blocks from the apartment.   *Está a tres o cuatro cuadras del departamento.*
   It is three or four blocks from the school.   ....

3. Yes, you are right.   *Sí, tú tienes razón.*
   No, you are not right.   ....

4. Finally, it is time to leave.
   Finally, it is time to eat.

   Al fin llega la hora de partir.

   ....

5. He has to leave carefully.
   The Maríns have to leave carefully.

   Tiene que salir con cuidado.

   ....

6. Lobo always tries to leave with them.
   Why does Lobo always try to leave with them?

   Lobo siempre trata de salir con ellos.

   ....

7. Lobo escapes into the street.
   Lobo goes down to the street.

   Lobo escapa a la calle.

   ....

8. The family leaves and this time Lobo doesn't escape.
   The family escapes and this time Lobo doesn't leave.

   La familia sale y esta vez Lobo no escapa.

   ....

9. He is so hungry.
   He is very hungry.

   Tiene tanta hambre.

   ....

10. They are going to have chicken casserole Mexican style.
    They are going to have red-snapper Mexican style.

    Van a tomar pollo en cacerola a la mexicana.

    ....

C. *Develop the topic by using each phrase below it in a separate sentence:*

1. **Un desayuno especial**
   a. los domingos por la mañana
   b. después de lavarse y vestirse
   c. churros y chocolate

2. **La hora de partir**
   a. salir con cuidado
   b. uno a uno
   c. escapar a la calle

3. **El restaurante**
   a. muchas familias mexicanas
   b. la música de los mariachis
   c. tener hambre

4
Un viaje
a las pirámides

Suena el despertador.[1] Elio se despierta, pero está tan cansado que no quiere levantarse. Su madre entra en el cuarto para despertarlo.

—Ya es muy tarde,— dice ella. —¿No tienes cita[2] con tus amigos?

Todavía cansado, responde él, —¡Sí, mamá! Gracias. Ya me voy.

Hoy Elio va con sus amigos a la zona arqueológica de Teotihuacán donde están las grandes pirámides. Hoy hay un programa de orientación para guías.[3] Los tres amigos de Elio estudian también para arqueólogo. Van a servir de guía tres días a la semana durante el verano cuando muchos turistas visitan las pirámides.

Elio tiene que ver a sus amigos a las nueve en el Zócalo,* plaza principal de la ciudad de México.

[1]*Suena el despertador*. The alarm clock rings.
[2]*cita* appointment
[3]*guías* guides

Desde allí es un viaje de una hora y cuarto en carro. Ya son casi las nueve. Elio se da mucha prisa.[4] Se viste y se desayuna rápidamente. Al salir de casa corre hacia la Avenida Juaréz donde toma un pesero, taxi que cuesta un peso[5] por cada viaje. Hace una ruta fija[6] y uno puede subir o bajar en cualquier punto.

Al llegar al Zócalo, Elio paga un peso y baja. Ve a sus amigos en el carro de Leonardo que está aparcado cerca del Zócalo. Elio sube al autómovil. Sus amigos, Leonardo, Marcelo y Ángel, están agitados.

—¿Qué tienes,[7] hombre?— pregunta Leonardo.
—¿Por qué llegas tan tarde? Son casi las nueve y media.

Elio dice que lo siente mucho[8] y que todavía pueden llegar a las diez y media cuando empiezan las actividades.

Van a usar una autopista[9] muy moderna. En camino de[10] la autopista el carro pasa cerca de la famosa Basílica[11] de Guadalupe.* Los muchachos están contentos de verla porque saben que no están muy lejos.

Entran a la autopista. El viaje es muy agradable porque no hay mucho tráfico. Aunque Leonardo está muy nervioso y mira el reloj frecuentemente, trata de no exceder la velocidad máxima. Pone la radio y escuchan un programa de música popular. Al salir de la autopista, todos oyen un ruido.

[4]*se da mucha prisa*   hurries
[5]*peso*   equivalent to eight cents in United States currency
[6]*fija*   fixed
[7]*¿Qué tienes . . .?*   What's the matter with you?
[8]*lo siente mucho*   he is very sorry
[9]*autopista*   superhighway
[10]*En camino de*   On the way to
[11]*Basílica*   Shrine

—¿Una llanta desinflada?[12]— piensan todos. Leonardo para el carro y baja a mirar las llantas.

—Sí, tenemos una llanta desinflada. ¡Vamos a una estación de servicio!

Notas culturales

Every city and town in Mexico has a *zócalo*, the principal square and the center of town life. People gather here to chat or sit on the benches and watch the passers-by while the children play in the grass. Shops, business establishments and the main cathedral face the *zócalo*.

In Mexico City the *zócalo* has often been criticized for its lack of greenery and benches. The National Cathedral and other important government buildings face the large concrete plaza, while thousands of cars create an eternal traffic jam around it.

The Shrine of Guadalupe was built on the site where Juan Diego, a poor Indian, was said to have seen a vision of the Virgin Mary in 1531. According to the legend, the bishop did not believe Juan Diego's story until he returned to show the bishop some roses which the Virgin had given him on Her second appearance. When Juan opened his serape the roses had disappeared and in their place a picture of the Virgin appeared on the cloth. The bishop, overwhelmed by the miracle, then ordered the shrine to be built.

Today this shrine is crowded with pilgrims who travel from all parts of Mexico. Many cross the vast plaza to the entrance on their knees in order to honor the Virgin.

[12]*llanta desinflada*   flat tire

CUESTIONARIO

1. ¿Por qué no se levanta Elio cuando suena el despertador?
2. Al fin, ¿quién despierta a Elio?
3. ¿A qué hora tiene que estar en el Zócalo?
4. ¿Qué es el Zócalo?
5. ¿Adónde van Elio y sus amigos?
6. ¿Por qué van allá?
7. ¿Cómo llega Elio al Zócalo?
8. ¿Qué es un pesero?
9. ¿Por qué están agitados los amigos de Elio?
10. ¿Cómo saben los muchachos que no están muy lejos?
11. Cuando salen de la autopista, ¿qué oyen?
12. ¿Por qué van a una estación de servicio?

EJERCICIOS

A. *Repeat the following sentences substituting the indicated words and making any other necessary changes.*

1. Está tan cansado que no quiere levantarse.

   trabajar / hablar / leer / escribir / correr

2. Elio se da mucha prisa.

   Tú / Yo / Vd. y él / Nosotros / Mis amigos

3. Tiene que ver a sus amigos a las nueve.

   a la una / a las dos y media / al mediodía / a las diez y cuarto / a las once menos cuarto

4. Elio corre hacia la Avenida Juárez donde toma un pesero.
   Vds. / Yo / Tú / Los muchachos / Ella

5. El carro pasa cerca de la Basílica.

   la autopista / las pirámides / la estación de servicio / el Zócalo / el parque

6. Leonardo está muy nervioso.

   Ellas / Nosotros / Su padre / Yo / Vd. y él

7. Todos oyen un ruido.

   Vd. / Yo / Tú / Vds. / Tú y yo

B. *Write the Spanish for the English sentence according to the model pair.*

1. I am on my way.   *Ya me voy.*
   We are on our way.   ....

2. They all go to the great pyramids.
   They all wish to go to the great pyramids.

   Todos van a las grandes pirámides.

   ....

3. Elio gets into the automobile.
   He decides to get into the automobile.

   Elio sube al automóvil.

   ....

4. What's the matter with you?
   What's the matter with them?

   ¿Qué tienes?

   ....

5. Elio says that he is very sorry.
   They say that they are very sorry.

   Elio dice que lo siente mucho.

   ....

6. They listen to a program of popular music.
   They listen to the radio.

   Escuchan un programa de música popular.

   ....

7. The boys are happy to see the shrine.
   The boys are happy to enter the shrine.

   Los muchachos están contentos de ver la basílica.

   ....

8. It is almost nine o'clock.
   It is almost ten thirty.

   Son casi las nueve.

   ....

9. He gets out to look at the tires.
   He gets out to repair the tires.

   Baja a mirar las llantas.

   ....

10. Let's go to a service
    station!

    Let's go to the pyra-
    mids!

¡*Vamos a una estación de
servicio!*

....

C. *Use the following words and expressions to form your own
sentences.*

1. al fin
2. darse prisa
3. el Zócalo
4. un pesero
5. sentirlo mucho

6. poner la radio
7. en camino de
8. costar un peso
9. a las diez y media
10. una llanta desinflada

5
Las pirámides

Los muchachos van a la estación de servicio para reparar la llanta. Leonardo no lleva otra en el carro. Los otros no pueden creerlo. Poco después salen de la estación de servicio y van directamente al sitio de las pirámides, un viaje de poca distancia.

Los pobres muchachos llegan media hora tarde. Son las once y pico.[1] Al llegar, ven a uno de sus profesores quien está mirando el reloj. Ellos tienen mucha vergüenza[2] y le explican lo que acaba de pasar.[3] Le dicen que lo sienten mucho y que durante el verano van a llegar a tiempo.

Luego Elio y sus amigos entran en el museo pequeño de Teotihuacán por la primera parte del programa de orientación. Los cuatro muchachos se sientan. La mayor parte de los guías ya están sentados.

[1]*Son las once y pico.*   It is a little after eleven.
[2]*tienen mucha vergüenza*   are very ashamed
[3]*acaba de pasar*   has just happened

Un arqueólogo está hablándoles de la historia y la importancia de esta zona arqueológica, descubierta[4] en 1904 al construir el ferrocarril.[5] Mirando un plano de la zona en la pared, dice: —Como ustedes ya saben las pirámides son las dos estructuras más importantes de esta zona. Muchos turistas de todas las partes del mundo vienen aquí a verlas. A la derecha está la más grande, sesenta y cinco metros de altura,[6] que se llama la Pirámide del Sol. A la izquierda está la más pequeña, la Pirámide de la Luna, cuarenta y cinco metros de altura. Aunque la Pirámide del Sol es más baja, su base es más grande que las bases de las pirámides de Egipto. No sabemos la fecha de su construcción ni el nombre de la tribu que construyó[7] estas pirámides. Continuamos investigando y buscando información para aprender más de la historia de estas estructuras.

El arqueólogo termina y anuncia que ya es hora de almorzar. Muchos traen el almuerzo preparado en casa. No desean comer en los restaurantes que están cerca de las pirámides porque son demasiado caros.

Después de tomar el almuerzo, comienza la segunda parte del programa. Los muchachos van a hacer el papel[8] de turistas. Van en grupos de ocho con guías que tienen mucha experiencia.

[4]*descubierta*   discovered

[5]*ferrocarril*   railroad

[6]*sesenta y cinco metros de altura*   65 meters (210 feet) high, (1 meter = about 40 inches)

[7]*construyó*   constructed

[8]*hacer el papel*   to play the roles

Pronto hay un problema serio. Los muchachos deben subir los 248 escalones de piedra hasta la cima[9] de la Pirámide del Sol. Marcelo no puede subir; tiene miedo de la altura. Sus amigos lo ayudan.

—¡Hombre! ¡Qué cosa! ¿Un guía que no puede subir una pirámide? Trata de subir con nosotros. Nada va a pasarte. Es muy fácil.— Y poco a poco Marcelo sube hasta la cima. ¡Qué magnífica es la vista! Marcelo está bien y cuando tiene que bajar, baja fácilmente.

Salen de Teotihuacán a las seis. La próxima semana van a regresar para asistir a otro programa.

Esta noche Elio tiene una cita con su padre. Van a un partido de jai alai.*

Notas culturales

Jai alai is one of the fastest games in the world. It is popular in Spain and throughout Spanish America, and has inspired the American game of handball. *Jai alai* was first played by the Basque people who live in the Pyrenees Mountains of Spain and France. It is played on a *frontón*, a three-walled court. A player catches and quickly throws the ball against the wall with a *cesta*, a long curved wicker basket strapped to the arm.

[9]*cima* top

CUESTIONARIO

1. ¿Qué cosa importante no lleva Leonardo en el carro?
2. ¿A qué hora llegan a las pirámides?
3. Al llegar, ¿a quién ven?
4. ¿Adónde van por la primera parte del programa?
5. ¿De qué está hablándoles el arqueólogo?
6. ¿Cuáles son las dos estructuras más importantes de esta zona?
7. ¿Cuál es más grande?
8. Al terminar, ¿qué anuncia el arqueólogo?
9. ¿Por qué no comen los muchachos en un restaurante?
10. ¿Qué problema tiene Marcelo?
11. ¿Cómo es la vista desde la cima de la pirámide?
12. ¿Adónde va Elio esta noche?

EJERCICIOS

A. *Repeat the following sentences substituting the indicated words and making any other necessary changes.*

1. Leonardo no lleva otra en el carro.

   Los pobres muchachos / Yo / Nosotros / Él / Tú

2. Los otros muchachos no pueden creerlo.

   mirarlo / pensarlo / decirlo / saberlo / investigarlo

3. Los pobres muchachos llegan tarde.

Muchos muchachos / La mayor parte de los muchachos / Todos los muchachos / Los cuatro muchachos / Pocos muchachos

4. A la izquierda está la más pequeña.

la menos importante / la más alta / la más grande / la menos interesante / la más bonita

5. Ya es hora de almorzar.

salir / subir / bajar / regresar / comer

6. Salen de Teotihuacán a las seis.

de aquí / de la zona / de casa / del museo / de la ciudad

7. Deben ir a la izquierda.

a la derecha / a la estación de servicio / en carro / en grupos / al sitio de las pirámides

B. *Write the Spanish for the English sentence according to the model pair.*

1. They are very ashamed. *Tienen mucha vergüenza.*
Why are you ashamed? ....

2. They explain what has *Explican lo que acaba de*
just happened. *pasar.*
We explain what has
just happened. ....

3. It is a little after eleven. *Son las once y pico.*
It is a little after one. ....

4. They enter the museum for the first part of the program. *Entran en el museo por la primera parte del programa.*
They enter the museum for the second part of the program. ....

5. The larger one is sixty-five meters high.

   The smaller one is forty-five meters high.

   La más grande tiene sesenta y cinco metros de altura.

   ....

6. The boys are going to play the roles of tourists.

   The boys must play the roles of tourists.

   Los muchachos van a hacer el papel de turistas.

   ....

7. He is afraid of height.

   He is afraid to climb to the top.

   Tiene miedo de la altura.

   ....

8. Nothing is going to happen to you.

   Nothing is going to happen to us.

   Nada va a pasarte.

   ....

9. How magnificent the view is!

   How beautiful the view is!

   ¡Qué magnífica es la vista!

   ....

10. They are going to return next week.

    Is he going to return next week?

    Van a regresar la próxima semana.

    ....

C. *Use each of the following words and expressions in a sentence.*

1. **a.** sentarse
   b. estar sentado

2. **a.** mirar
   b. buscar

3. **a.** los pobres muchachos
   b. los muchachos pobres

4. **a.** son las once y pico
   b. a las once y pico

5. **a.** muchos muchachos
   b. la mayor parte de los muchachos

6
El mercado

Al día siguiente,[1] mientras la familia Marín se desayuna, Elio y su padre discuten el partido de jai alai. Están muy animados.

—Elio y yo tenemos mucha suerte.[2] Anoche ganamos[3] unos sesenta y cinco pesos.

—¡Magnífico!— exclama Enrique. —Es mucho ganar en una noche, ¿no es verdad?

—Sí, es mucho, mi hijo.

Nicté no presta mucha atención a la conversación porque está pensando en la piñata* que están haciendo en su clase para la fiesta de fin de año escolar.[4] Es una piñata de colores vivos en forma de burro. Cada estudiante tiene que comprar un regalito[5] para la piñata. Nicté está preocupada porque no sabe qué comprar. Decide ir hoy al Mercado de San Juan donde se venden curiosidades.

[1]*Al día siguiente*   On the following day
[2]*tenemos mucha suerte*   are very lucky
[3]*Anoche ganamos*   Last night we won
[4]*año escolar*   school year
[5]*regalito*   small gift

39

—Nicté, ¿no es hora de ir a la escuela?

—Sí, mamá, es tarde.— Termina su desayuno y se levanta de la mesa.

—Quiero ir de compras esta tarde. Tengo que comprar un regalito para la piñata que hacemos en mi clase. ¿Quieres acompañarme?

—¡Claro que sí!⁶ Tengo que comprar unas cosas también. Hasta luego, hija.

—Hasta la una, mamá.

A la una Nicté regresa. Su madre está lista y las dos van a pie al mercado que no está muy lejos. Al llegar al Mercado de San Juan van hacia la sección donde se venden frutas, legumbres, carne y pan. La señora Marín compra dos pollos, pan y tomates para el almuerzo.

Luego siguen a los otros puestos⁷ donde se vende de todo: piñatas, flores de papel, sarapes, rebozos, juguetes y figurillas de paja.⁸ Hay mucha actividad. La sección está llena de turistas que vienen aquí a comprar estas curiosidades mexicanas.

Nicté mira todas las cosas y tiene dificultad en decidir. Pronto ve una figurilla de paja en forma de hombre que es muy interesante y diferente. Sigue mirándola y decide comprarla.

—¿Cuánto vale⁹ esta figurilla de paja?— pregunta Nicté.

---

⁶ ¡Claro que sí!   Certainly!
⁷ puestos   stands
⁸ rebozos, juguetes y figurillas de paja   shawls, toys and little straw figures
⁹ ¿Cuánto vale . . . ?   How much is . . . ?

—¿Cuál?— pregunta el vendedor.

—La del hombre.

—¡Qué buen gusto[10] tiene, señorita! Es muy especial, pero le doy esta figurilla a un precio muy reducido: doce pesos.

—¡Ay, no! Es muy cara. Esa figurilla sólo vale seis.

—Imposible,— contesta, —es demasiado barata. Déme ocho pesos y es suya. ¿La quiere?

Nicté dice que sí y le da al vendedor ocho pesos. Su madre le dice que el hombre de paja que acaba de comprar es un buen regalo para la piñata de su clase. **Nicté está muy contenta con su regalito.**

Notas culturales

A *piñata* is a gaily colored paper figure, usually an animal, with a clay pot inside filled with candy, fruits and small gifts. At parties, especially around Christmas time, blindfolded children try to break the *piñata* with a stick. When it is broken, they scramble to pick up the gifts which fall around them.

Most merchandise sold in Mexican markets does not have a fixed price. Bargaining is the traditional manner of setting a price. It is a custom which both seller and buyer thoroughly enjoy. Many tourists who are unfamiliar with this tradition pay outrageous prices for gift items and souvenirs.

[10]*gusto*   taste

CUESTIONARIO

1. Mientras la familia Marín se desayuna, ¿qué discuten Elio y su padre?
2. ¿Por qué no presta Nicté mucha atención a la conversación?
3. Describa Vd. la piñata que hacen en la clase de Nicté.
4. ¿Por qué quiere ir Nicté al mercado hoy?
5. ¿Con quién va de compras?
6. ¿Por qué van a pie al mercado?
7. ¿Qué compra la señora Marín?
8. ¿Qué se vende en el mercado de curiosidades?
9. Según el hombre, ¿cuánto vale la figurilla de paja?
10. ¿Cuánto paga Nicté?

EJERCICIOS

A. *Repeat the following sentences substituting the indicated words and making any other necessary changes.*

1. Está pensando en la piñata.

   el regalito / el hombre de paja / el mercado / el rebozo / la fiesta

2. Yo quiero ir de compras.

   Ellos / Tú / Mi madre y yo / Vds. / La familia

3. El mercado no está lejos.

El museo / Su casa / Nuestra escuela / Esta sección / Este puesto

4. Aquí se vende de todo.

pan / piñatas / mucho / tomates / rebozos

5. ¿Cuánto vale esta piñata?

las flores de papel / esto / la carne / esa piñata grande / el pan

6. Le doy esta figurilla de paja a un precio muy reducido.

bajo / barato / especial / razonable / decente

7. Nicté dice que sí.

Vds. / Nosotros / Ellas / Tú / Yo

B. *Write the Spanish for the English sentence according to the model pair.*

1. I can see him on the
following day.
We can see him on the
following day.

Puedo verlo al día siguiente.

....

2. It is a lot to win in one
night.
It is a lot to do in one
night.

Es mucho ganar en una noche.

....

3. Nicté doesn't pay at-
tention.
They do not pay at-
tention.

Nicté no presta atención.

....

4. Certainly!
Certainly not!

¡ Claro que sí !

....

5. They are making a
   piñata in the shape
   of a donkey.
   They are making a
   piñata in the shape
   of a man.

   *Hacen una piñata en forma de
   burro.*

   ....

6. Today she decides to
   go shopping.
   Today she must go
   shopping.

   Hoy decide ir de compras.

   ....

7. In this section, they
   sell everything.
   In this market, they
   sell everything.

   *En esta sección se vende de
   todo.*

   ....

8. She has trouble de-
   ciding.
   She has trouble buying
   it.

   Tiene dificultad en decidir.

   ....

9. How much is this
   straw man?
   How much are these
   flowers?

   *¿Cuánto vale este hombre de
   paja?*

   ....

10. What good taste you
    have, Miss!
    What good taste we
    have!

    *¡Qué buen gusto tiene, seño-
    rita!*

    ....

C. *Fill in the blanks with the appropriate prepositions:*

1. ¿Piensa Vd. _____ el examen de español?
2. Queremos salir _____ esta ciudad.

3. Yo no tengo dificultad —— decidir.

4. Queremos ir —— compras.

5. Generalmente son las dos cuando entran —— la tienda.

6. ¿Dónde se vende —— todo?

7. Voy a comprar este regalito —— la piñata de mi clase.

8. Lo damos —— un precio demasiado barato.

9. Van —— hablarle porque quieren saber la verdad.

10. Tengo muchos deseos —— comer en este restaurante.

7
Una Visita

Suena el timbre.[1] Nadie lo oye. Suena otra vez. Esta vez la señora Marín, que está preparando la cena en la cocina, lo oye. Va a abrir la puerta, gritando a sus hijos: —¡Bajen la radio! Alguien llama a la puerta.

La señora Marín está bien sorprendida.[2] No espera a nadie. Abre la puerta y ve a sus buenos amigos, José y Linda.

—¡Ustedes!— exclama con alegría. —No lo creo. Pasen. ¿Qué tal?

—Bien, muy bien. ¿Y todos ustedes?

—Estamos muy bien.

Después de que José y Linda se sientan, la señora Marín sale a decir a los otros que acaban de llegar José y Linda. En seguida todos los Marín entran en la sala para saludarlos. Los jóvenes están muy excitados. Tienen grandes deseos de hablar con ellos porque acaban de pasar su luna de miel[3] en los Estados Unidos. Linda y su familia son de Nueva York. Ella conoció[4] a José durante

[1]*timbre* bell
[2]*sorprendida* surprised
[3]*luna de miel* honeymoon
[4]*conoció* met

sus vacaciones en México. Dos años después se casaron.[5] Ahora viven en México. Aunque ella es de los Estados Unidos, es muy aficionada a la vida mexicana.

—Dígannos todo de su viaje a la gran ciudad de Nueva York,— dice Elio.

La señora Marín sale del cuarto. —Con permiso. Tengo que preparar la cena. Ustedes van a quedarse a comer con nosotros, ¿verdad? Tenemos una cena deliciosa: albóndigas, ensalada de aguacate, y flan.[6]

—¡ Ah, sí! Con mucho gusto. Gracias, Dora.

Poco después todos van al comedor a cenar. La comida es excelente como siempre. Durante la comida Linda anuncia que tiene algo muy importante que preguntarles a los Marín. Todos escuchan con interés.

—Mis padres tienen buenos vecinos en Nueva York, los Grant. Tienen un hijo Luis, estudiante serio que asiste a una de las universidades de Nueva York. Se especializa en español. Piensa pasar sus vacaciones de verano en México.

—¡Qué admirable!— dice Elio. —Parece interesante. Si viene aquí, podemos conocerlo y mostrarle nuestra ciudad.

—Espero que sí. Es que Luis quiere vivir con una familia mexicana mientras está en la ciudad de México. Va a quedarse aquí por un mes. Viene a fines de[7] junio. Quiero saber si puede vivir aquí. Ustedes tienen una alcoba que nadie usa, ¿verdad?

---

[5]*se casaron*   got married
[6]*albóndigas, ensalada de aguacate y flan*   meatballs, avocado salad and custard
[7]*a fines de*   at the end of

Contesta la señora Marín: —Sí, tenemos **una**, pero . . .

—¡ Mamá, papá, díganle a Linda que sí!— pide Elio. —Imagínense, un norteamericano puro en nuestra casa.

—Sí, díganle que sí, —insisten Nicté y Enrique.

—Hablando francamente, Linda, no estamos seguros,— dice el señor Marín. —Déjanos la dirección[8] de tu amigo Luis. Tenemos que pensar en ello.

—Bien. Gracias, Ramón,— dice Linda.

A las once menos cuarto José y Linda se despiden **de** los Marín, y toda la familia continúa discutiendo **la** visita de Luis a México.

[8]*Déjanos la dirección* Leave us the address

CUESTIONARIO

1. ¿Cuántas veces suena el timbre?
2. Cuando lo oye, ¿dónde está la señora Marín?
3. Al abrir la puerta, ¿a quiénes ve la señora Marín?
4. ¿Por qué está sorprendida?
5. ¿Por qué tienen los jóvenes grandes deseos de hablar con José y Linda?
6. ¿De dónde es Linda?
7. ¿Qué representa su viaje a los Estados Unidos?
8. ¿Qué van a comer?
9. ¿Quiénes son los Grant?
10. ¿Cómo se llama el hijo de los Grant?
11. ¿Qué estudia en la universidad?
12. ¿Dónde va a pasar sus vacaciones de verano?
13. Mientras está en la capital, ¿con quién quiere vivir?
14. ¿Cómo responde el señor Marín a la pregunta de Linda?

EJERCICIOS

A. *Repeat the following sentences substituting the indicated words and making any other necessary changes.*

1. Todos los Marín entran en la sala para saludarlos.

   hablarles / verlos / ayudarlos / despedirse de ellos / conocerlos

2. La señora Marín sale.

 Él / Nicté y yo / José y Linda / Yo / Tú

3. Es muy aficionada a la vida mexicana.

 al jai alai / a la música popular / a las curiosidades mexicanas / a la
 vida norteamericana / a la arqueología

4. Viene a fines de junio.

 el verano / octubre / diciembre / la primavera / agosto

5. Se especializa en español.

 arqueología / francés / matemáticas / ciencia / inglés

6. Díganle a Linda que sí.

 al arqueólogo / a la norteamericana / a él / a mi amigo / a Ramón

7. José y Linda se despiden de los Marín.

 Nosotros / Yo / Vds. / Ellos / Tú

B. *Write the Spanish for the English sentence according to the model pair.*

1. Lower the television!   ¡*Bajen la televisión!*
 Lower the radio!
 ....

2. Someone is calling at   *Alguien llama a la puerta.*
   the door.
 Who is calling at the
   door?
 ....

3. They want very much   *Tienen grandes deseos de*
   to speak to each   *hablarse.*
   other.
 They want very much
   to get married.
 ....

4. Mrs. Marín leaves the room.
   Mrs. Marín enters the room.

La señora Marín sale del cuarto.

....

5. He attends a university in New York.
   We attend a university in Mexico.

Asiste a una universidad en Nueva York.

....

6. He majors in Spanish here.
   Can he major in Spanish here?

Se especializa en español aquí.

....

7. He intends to spend his summer vacation in Mexico.
   Where do you intend to spend your summer vacation?

Piensa pasar sus vacaciones de verano en México.

....

8. I hope so.
   Everybody hopes so.

Espero que sí.

....

9. He is coming at the end of June.
   He is leaving at the end of June.

Viene a fines de junio.

....

10. José and Linda say goodbye to the Maríns.
    The Maríns say goodbye to José and Linda.

José y Linda se despiden de los Marín.

....

C. *Fill in the blanks with the appropriate words and expressions from the story:*

1. Si el timbre suena, alguien ——— a la puerta.

2. Si Vd. quiere saber cómo está su amigo, puede preguntarle, —¿ ———?

3. Si no está enfermo, su amigo puede contestar, ————.

4. Un viaje después de casarse es una ———.

5. Si Vd. quiere salir de un cuarto, para ser cortés (courteous) puede decir a los otros, ————.

6. Es necesario ——— en español en la universidad para enseñarlo.

7. Vienen ——— de junio, que es la última parte del mes.

8. Para escribir a su amigo, necesita su ———.

8
Un problema

A la mañana siguiente los niños todavía no saben si Luis va a vivir con ellos. Tienen muchas ganas de saber la decisión de sus padres. Nicté y Elio van a la escuela pensando en Luis. Enrique, quien va a la escuela por las tardes, empieza a hacer sus deberes,[1] tratando de olvidarse del norteamericano, Luis.

Cuando el señor Marín vuelve a casa por la tarde, él y su esposa hablan de Luis. Dice la señora Marín: —Aunque va a ser bastante trabajo, no veo inconveniente en dejar[2] a Luis vivir con nosotros. Va a ser una experiencia de que todos podemos gozar.[3] Podemos aprender mucho de los Estados Unidos, especialmente los niños. ¿Qué piensas, Ramón?

—Lo que dices es verdad. Sí, estoy de acuerdo.[4] Tengo ganas de conocer a Luis. Vamos a decir a los niños ahora mismo lo que acabamos de decidir.

[1] *deberes*   homework
[2] *inconveniente en dejar*   objection to allowing
[3] *gozar*   enjoy
[4] *estoy de acuerdo*   I agree

Cuando los señores Marín les dicen a Elio y a Nicté lo decidido, están muy felices.

—¡Estupendo!— dice Nicté. —No puedo esperar hasta fines de junio. Enrique va a estar muy contento también. ¿Habla Luis español?

—¡Hombre, no digas barbaridades![5]— exclama Elio. —¡Claro que habla español! Se especializa en español.

—Sí, ya recuerdo. Pero, cálmate.

—Perdóname, Nicté. Estoy un poco excitado.

—¿Dónde está Enrique, mamá?— pregunta Nicté.

—Va a llegar pronto. Ya son las cinco.

Enrique llega poco después. Parece triste y muy preocupado. Nicté le dice: —Enrique, tengo algo muy importante que decirte. Luis va a pasar sus vacaciones con nosotros. Tenemos que limpiar su habitación y hacer otras mil cosas. ¿Qué piensas de todo esto, hermanito? Pero, Enrique, no me estás escuchando. ¿Qué tienes? ¿Qué te pasa?

—Sí, Nicté, me da mucha alegría lo que me dices, pero estoy preocupado de otra cosa. Mis deberes son imposibles. Tengo que escribir un cuento de dos o tres páginas y no tengo ideas. ¿Qué voy a hacer?

—Bueno. Aunque difícil, su tarea[6] no es nada imposible. Tienes que pensar un poco en tus propias experiencias. Escribe de una interesante. En realidad, casi es fácil, ¿verdad?

—Tal vez. No sé. Gracias por tu ayuda.

[5]*barbaridades*   foolish things
[6]*tarea*   task

Enrique va a su alcoba sin decir nada más. Pronto tiene una buena idea. Se sienta a su escritorio y comienza a escribir un cuento con el título: "Mi amigo del norte."

> Hace mucho tiempo que espero a Luis, mi amigo de los Estados Unidos. No puedo describirlo porque voy a verlo por primera vez. Mañana voy al aeropuerto[7] a . . .

Sigue sin dificultad. Y mientras escribe, se da cuenta de que[8] verdaderamente va a tener un amigo del norte.

[7]*aeropuerto*   airport
[8]*se da cuenta de que*   he realizes that

CUESTIONARIO

1. ¿Qué quieren saber los niños?
2. ¿En quién piensan Nicté y Elio?
3. ¿Qué hace Enrique por las tardes?
4. ¿Cuándo vuelve el señor Marín a casa?
5. ¿Por qué deciden dejar a Luis vivir en su departamento?
6. Cuando saben lo decidido, ¿cómo están Nicté y Elio?
7. ¿Por qué está preocupado Enrique?
8. ¿En qué tiene Enrique que pensar antes de escribir su cuento?
9. Después de hablar con Nicté, ¿adónde va Enrique?
10. ¿Cuál es el título de su cuento?
11. ¿De qué se da cuenta mientras escribe su cuento?

EJERCICIOS

A. *Repeat the following sentences substituting the indicated words and making any other necessary changes.*

1. El señor Marín vuelve a casa por la tarde.

   a las cinco / por la mañana / a la una / por la noche / a la medianoche

2. Nosotros podemos aprender mucho de los Estados Unidos.

   Los alumnos / Él / Tú / Los Díaz / Yo

3. ¿Qué piensas de todo esto, hermanito?

lo decidido / tus deberes / el título / la decisión / su problema

4. Cálmate, Elio.

Siéntate / Levántate / Piénsalo / Perdóname / Háblame

5. Lo que dices es verdad.

bueno / estupendo / malo / magnífico / interesante

6. Hace mucho tiempo que espero a Luis.

dos meses / poco tiempo / media hora / tres horas / varias semanas

7. Él sigue sin dificultad.

Ellos / Ella / Yo / Nosotros / Tú

B. *Write the Spanish for the English sentence according to the model pair.*

1. They are very eager to know the decision of their parents.

   Tienen muchas ganas de saber la decisión de sus padres.

   They are very eager to meet Luis.

   ....

2. He wants to do the homework.

   Quiere hacer los deberes.

   He wants to finish the homework.

   ....

3. He returns home in the afternoon.

   Vuelve a casa por la tarde.

   He doesn't return home in the morning.

   ....

4. I agree with you.

   Estoy de acuerdo contigo.

   They agree with you.

   ....

5. He tries to forget about the American.

   He tries to forget about his problem.

Trata de olvidarse del norte-americano.

....

6. I see no objection to allowing Luis to live with us.

   I see no objection to allowing Luis to spend his vacation with us.

Ne veo inconveniente en dejar a Luis vivir con nosotros.

....

7. It is going to be an experience which we all can enjoy.

   It is an experience which they all can enjoy.

Va a ser una experiencia de que todos podemos gozar.

....

8. Don't say foolish things!

   Why do you say foolish things?

¡No digas barbaridades!

....

9. I am going to see him for the first time.

   I am going to the airport for the first time.

Voy a verlo por primera vez.

....

10. He realizes that his friend is coming.

    Don't you realize that your friend is coming?

Se da cuenta de que su amigo viene.

....

C. *Use the following words and expressions to form your own sentences.*

1. olvidarse de
2. gozar de
3. estar de acuerdo
4. ahora mismo
5. pensar de
6. a la mañana siguiente
7. tratar de
8. en realidad
9. sin decir nada más
10. sin dificultad

9
Una carta a Luis

Elio tiene que escribir una carta a Luis, invitándolo a vivir con su familia durante sus vacaciones en la capital. El señor Marín le dice a Elio que es buena idea darle información sobre la ciudad también. Aunque Elio está muy ocupado, sabe que debe escribir la carta ahora mismo. Ya es el veinte y uno de mayo y Luis va a llegar a fines de junio.

Cuando empieza a escribir la carta, se da cuenta de que es una tarea difícil. No conoce a Luis; no sabe qué decirle. Es difícil escribir acerca de la ciudad de México, aunque hace veinte años — toda su vida — que vive allí. ¿Qué escribir? ¿Cómo escoger[1] las palabras? Finalmente escribe la carta siguiente:

21 de mayo

Estimado Luis,

Primero quiero confesarte que es extremadamente difícil escribir a una persona que no conozco, aunque somos de la misma edad. José y

---

[1]*escoger* to choose

63

Linda acaban de visitarnos y decirnos que tú quieres pasar tus vacaciones en México. Mi familia y yo queremos invitarte a quedarte con nosotros. Tenemos en nuestro departamento una alcoba que nadie usa ahora. Todos nosotros — mis padres, mis dos hermanos menores, Nicté y Enrique, y yo — pensamos que tu visita va a ser una experiencia agradable de que podemos gozar. Estamos seguros de que vas a divertirte en la capital. Hay tanto que decirte acerca de nuestra ciudad que no sé por dónde comenzar.

Nosotros los mexicanos estamos muy orgullosos[2] de nuestro país, especialmente de la capital que llamamos simplemente México* o a veces, D. F., Distrito Federal. México es una ciudad cosmopolita y moderna. Más de siete millones de habitantes viven aquí. Es casi tan grande como Nueva York. Hay tanto que hacer que tú nunca vas a estar aburrido.[3] Hay muchas actividades culturales en las que puedes tomar parte. Hay una gran variedad de museos y lugares de interés que puedes visitar.

Tengo muchos amigos a quienes te voy a presentar. Siempre tenemos fiestas y bailes que son muy divertidos. Muchas de las canciones populares que escuchamos son de los Estados Unidos. Mis amigos tienen mucho interés por tu país. Acabo de hablarles de ti y tienen grandes deseos de conocerte.

[2]*orgullosos* proud
[3]*aburrido* bored

Nuestro departamento está bien situado porque está en el centro de la ciudad. Está a tres cuadras del parque histórico, la Alameda Central. Puedes sentarte allí y ver las actividades de la ciudad.

Generalmente hace buen tiempo en la capital porque tiene una elevación de 2240 metros o unos 7300 pies. Es una de las capitales más elevadas del mundo. No hace frío en el invierno ni hace mucho calor en el verano. Pero durante el verano llueve casi todos los días por la tarde. Debes llevar contigo paraguas e impermeable.[4]

Escribe cuanto antes,[5] por favor, diciéndome el día, la hora y el número del vuelo[6] en que vas a llegar. Mis hermanos y yo nos vamos a encontrar contigo en el aeropuerto. Vas a poder reconocerme porque voy a llevar un suéter rojo.

Mi familia y yo tenemos ganas de conocerte y mostrarte nuestra ciudad. Esperamos tu carta.

Sinceramente,

Elio Marín

---

[4]*paraguas e impermeable*   umbrella and raincoat
[5]*cuanto antes*   as soon as possible
[6]*vuelo*   flight

Notas culturales

Mexicans call both their capital city and their country *México*. This confuses American tourists who distinguish the two by calling them "Mexico" and "Mexico City."

Elio's signature ends with a *rúbrica*, a flourish, characteristic of the signatures of many Spanish-speaking people.

CUESTIONARIO

1. ¿Quién tiene que escribir la carta?
2. ¿Por qué es difícil escribir una carta a Luis?
3. ¿Hace cuánto tiempo que vive Elio en México?
4. ¿Cómo llaman los mexicanos a la capital?
5. ¿Cuántos habitantes viven en la capital?
6. Según Elio, ¿por qué no va Luis a estar aburrido?
7. ¿Quiénes tienen interés por los Estados Unidos?
8. ¿Por qué está bien situado el departamento de los Marín?
9. ¿Qué es la Alameda Central?
10. ¿Por qué hace buen tiempo en la capital?
11. ¿En qué estación llueve casi todas las tardes?
12. ¿Quiénes se van a encontrar con Luis en el aeropuerto?
13. ¿Cómo va Luis a poder reconocer a Elio?

EJERCICIOS

A. *Repeat the following sentences substituting the indicated words and making any other necessary changes.*

1. Es el veinte y uno de mayo.

   dos / quince / primero / treinta / veinte y cinco

2. Él no conoce a Luis.

   La familia Marín / Nosotros / Los niños / Yo / Tú

3. Él no sabe qué decirle.

   Nosotros / Ellos / Yo / Mi amigo / Vds.

4. Estamos muy orgullosos de nuestro país.

   nuestra capital / la ciudad / todos los museos / los parques hermosos / las actividades culturales

5. México es una de las capitales más elevadas del mundo.

   divertidas / interesantes / elegantes / cosmopolitas / bonitas

6. No hace frío en el invierno.

   hace calor / hace viento / hace fresco / hace sol / llueve

7. ¡Escribe cuanto antes, por favor!

   ahora mismo / mañana / esta tarde / pronto / hoy

B. *Write the Spanish for the English sentence according to the model pair.*

1. Elio must write the letter.
   Elio must write it.

   Elio tiene que escribir la carta.

   ....

2. He has been living in the city for twenty years.
   He has been working in the city for twenty years.

   Hace veinte años que vive en la ciudad.

   ....

3. He finally writes the following letter.
   He finally reads the following letter.

   Finalmente escribe la carta siguiente.

   ....

4. It is difficult to write about the city.
   It is difficult to write about the places of interest.

   Es difícil escribir acerca de la ciudad.

   ....

5. I don't know where to begin.
   They don't know where to begin.

   No sé por dónde comenzar.

   ....

6. We are the same age.
   Are they the same age?

   Somos de la misma edad.

   ....

7. There is a great variety of museums.
   There is a great variety of cultural activities.

   Hay una gran variedad de museos.

   ....

8. My friends are interested in the United States.
   Why are you interested in the United States?

   Mis amigos tienen interés por los Estados Unidos.

   ....

9. The weather is good in the capital.

Hace buen tiempo en la capital.

The weather is bad in the capital.

....

10. Bring an umbrella and a raincoat with you.

Lleva contigo paraguas e impermeable.

Are you bringing an umbrella and a raincoat with you?

....

C. *Each of the following sentences contains false information. Rewrite the sentences, making the necessary corrections.*

1. El señor Marín dice que es mala idea darle información sobre la ciudad.

2. Elio no quiere escribir la carta.

3. Luis llega a principios de junio.

4. «Primero quiero decirte que no es nada difícil escribir a una persona que no conozco,» escribe Elio.

5. Luis va a hallar que el departamento está lejos del centro de la ciudad.

6. La ciudad de México es más grande que la ciudad de Nueva York.

7. Casi siete millones de habitantes viven en la ciudad de México.

8. Durante el verano siempre hace buen tiempo por la tarde.

9. México tiene una elevación de 2240 pies.

10. Elio va solo a encontrarse con Luis en el aeropuerto.

10
Una mañana
de actividades

Hoy es domingo, y después de desayunarse con churros y chocolate, el señor Marín quiere descansar y Elio tiene que estudiar. La señora Marín va con Enrique y Nicté al Bosque[1] de Chapultepec, enorme parque de la capital. Antes de salir, la señora Marín les dice a su esposa y a Elio:

—Nos vemos a eso de[2] las dos frente al Museo de Arte Moderno y traigan el almuerzo, por favor. Ya está preparado. Lo hallan en el refrigerador. Hasta luego.

Los Marín llegan al parque a las diez. Está lleno de actividad los domingos. Chapultepec, que quiere decir en nahuatl, lengua azteca, «Cerro del Saltamontes,»[3] es como una escuela al aire libre.[4] Allí se dan clases gratuitas[5] de cerámica, de baile, de inglés, de pintura y

[1]*Bosque*   Forest
[2]*a eso de*   at about
[3]*Cerro del Saltamontes*   Hill of the Grasshopper
[4]*al aire libre*   in the open air
[5]*gratuitas*   free

de guitarra cada domingo. Muchos mexicanos toman parte en las clases y en las conferencias[6] que se dan sobre una variedad de temas.

Hace dos años que la señora Marín da clases de pintura en el parque. Nicté asiste a una clase de guitarra cada domingo. Pero el pobre Enrique nunca sabe qué hacer. Cada semana asiste a otra clase. Hoy decide aprender el inglés. Es buena idea porque Luis viene pronto, y puede hablar inglés con él. Enrique está acostumbrado al sonido[7] del inglés porque ve muchas películas norteamericanas donde los actores hablan inglés, pero se pueden ver los títulos en español.

Enrique se divierte en la clase de inglés aunque no comprende mucho. Asiste por primera vez, y ésta es la décima reunión de la clase. El profesor es un joven universitario que se especializa en inglés y literatura norteamericana. Hay mucho entusiasmo entre los estudiantes, y Enrique decide asistir a esta clase la próxima semana.

Nicté y la señora Marín vienen a buscar a Enrique a la una. Cuando termina su clase, Enrique corre hacia ellas, diciéndoles que va a seguir estudiando el inglés.

—Me alegro mucho, Enrique,— responde la señora. —Es la una, y tenemos que encontrarnos con papá y Elio a las dos. ¿Qué vamos a hacer por una hora?

Nicté quiere ver a una famosa actriz mexicana, quien va a leer poesía del período colonial de México en otra parte del parque. Antes de llegar allá, los Marín oyen

---

[6]*conferencias*   lectures
[7]*está acostumbrado al sonido*   is accustomed to the sound

música y ven a muchas personas. Se acercan y miran bailar a un grupo de jóvenes. Los bailes folklóricos son muy divertidos.

Los mexicanos deben considerarse muy afortunados porque Chapultepec les da muchas oportunidades de aprender a tocar instrumentos musicales, hablar lenguas extranjeras, pintar y hacer objetos de cerámica. Lo bueno es que muchos mexicanos se aprovechan de[8] todas estas actividades.

---

[8]*se aprovechan de*   take advantage of

CUESTIONARIO

1. ¿Quiénes van al Bosque de Chapultepec?
2. ¿Qué hacen el señor Marín y Elio?
3. ¿Qué quiere decir Chapultepec?
4. ¿A qué hora llegan los Marín a Chapultepec?
5. ¿Por qué es Chapultepec como una escuela al aire libre?
6. ¿Qué clases da la señora Marín?
7. ¿A qué clase asiste Nicté?
8. ¿Qué va Enrique a aprender?
9. ¿Por qué está acostumbrado Enrique al sonido del inglés?
10. ¿Por qué no comprende mucho en la clase de inglés?
11. ¿Quién es el profesor?
12. Después de la clase de Enrique, ¿adónde van los Marín?
13. ¿Por qué deben considerarse afortunados los mexicanos?

CUESTIONARIO PERSONAL

1. ¿Cuál es el nombre de un parque que está cerca de su casa?
2. ¿Qué día(s) de la semana va Vd. al parque?
3. ¿Con quién(es) va Vd.?
4. ¿Qué actividades hay en el parque?
5. ¿Adónde va Vd. generalmente los domingos?

EJERCICIOS

A. *Repeat the following sentences substituting the indicated words and making any other necessary changes.*

1. Hoy es <u>domingo</u>.

   sábado / el primero de junio / martes / el cuatro de mayo / lunes

2. Muchos mexicanos <u>toman parte en</u> estas clases.

   van a / gozan de / aprenden mucho en / se aprovechan de / asisten a

3. El pobre chico nunca sabe qué <u>hacer</u>.

   leer / comprar / decir / escribir / estudiar

4. <u>Luis</u> viene pronto.

   Vds. / Yo / Nosotros / El grupo / Los jóvenes

5. <u>Enrique</u> se divierte en la clase de inglés.

   Su hermana / Todos / Yo / Vds. / Tú

6. Va a seguir <u>estudiando</u>.

   leyendo / hablando / trabajando / descansando / pintando

7. ¿Qué hacemos <u>nosotros</u>?

   yo / ellas / él / tú y yo / mi amiga

B. *Write the Spanish for the English sentence according to the model pair.*

1. We will meet at about   *Nos vemos a eso de las dos.*
   2 :00.
   We will meet at about
   1 :15.

   ....

2. Chapultepec means Hill of the Grasshopper.
   What does Chapultepec mean?

   Chapultepec quiere decir Cerro del Saltamontes.

   ....

3. It is like an open-air school.
   It is like an open-air market.

   Es como una escuela al aire libre.

   ....

4. Free classes are given there.
   Free lectures are given there.

   Allí se dan clases gratuitas.

   ....

5. He is accustomed to the sound of English.
   Nicté is not accustomed to the sound of English.

   Está acostumbrado al sonido del inglés.

   ....

6. He attends for the first time.
   We attend for the first time.

   Asiste por primera vez.

   ....

7. They come to look for him.
   They come to look at it.

   Vienen a buscarlo.

   ....

8. I am very happy.
   Aren't you very happy?

   Me alegro mucho.

   ....

9. The Mexicans should consider themselves very fortunate.

Los mexicanos deben considerarse muy afortunados.

I should consider myself very fortunate.

....

10. They take advantage of these activities.

Se aprovechan de estas actividades.

He does not take advantage of these classes.

....

II
Una tarde
en Chapultepec

Elio y su padre llegan a Chapultepec a las dos en punto. Se encuentran con los otros frente al Museo de Arte Moderno. Elio lleva en una cesta[1] pollo, pan, aguacates, tomates y frutas para el almuerzo.

Antes de comer, los Marín deciden entrar en el museo. Los museos siempre están llenos de gente de todas las clases sociales y económicas los domingos cuando la entrada para muchos museos es gratuita.

El Museo de Arte Moderno tiene dos edificios circulares que son muy modernos. Hoy hay una magnífica exposición de las pinturas del gran muralista, Diego Rivera. Algunas de estas pinturas son, en realidad, estudios para sus murales más famosos. A todos los mexicanos les gustan las pinturas y los murales de Rivera porque cogen[2] el espíritu mexicano y describen bien su historia.

[1]*cesta* basket
[2]*cogen* catch (capture)

Al salir del museo, pregunta la señora Marín:
—Enrique, ¿qué te parece[3] la exposición?

—A mí me gusta mucho mirar las pinturas de Rivera. Pero ahora tengo hambre. Puedo comer por cuatro. ¿Cuándo vamos a comer?

—Comemos pronto. Vamos a tomar el almuerzo cerca del nuevo museo de historia. Allí hay una maravillosa exposición que explica la historia de México y describe nuestra lucha[4] por la independencia. Es un sitio bonito.

Cuando los Marín están cerca del museo, se sientan debajo de un árbol y comen. Después de tomar el almuerzo, Enrique empieza a jugar solo. Tira su llavero[5] y lo coge.

—¡Cuidado con tu llavero!— grita Elio. —Vas a perderlo.

Enrique no presta atención; sigue tirando y cogiendo el llavero. Poco después, viene corriendo hacia su familia: —Mamá, papá, ya no tengo el llavero. ¡Miren ustedes aquel árbol! ¿Ven mi llavero? Pende de una rama.[6] ¡Caramba! ¿Qué podemos hacer?

—Voy a sacudir[7] las ramas del árbol y tu llavero va a caerse al suelo,— dice el señor Marín.

Sacude las ramas, pero nada pasa. El llavero todavía pende del árbol. Luego la señora Marín tira el zapato al llavero. Lo tira tres veces sin suerte. Al fin, el zapato

---

[3]*¿qué te parece . . . ?* what do you think of . . . ?
[4]*lucha* struggle
[5]*Tira su llavero* He throws his keyring
[6]*Pende de una rama.* It is hanging from a branch.
[7]*sacudir* to shake

también queda en una rama. ¡Qué lío! ¡Un llavero y un zapato pendientes del árbol!

—Cálmense. Voy a subir al árbol para obtenerlos,— dice Elio.

Lo hace sin dificultad. Hay tanta confusión que muchas personas miran a los pobres Marín por las ventanas del museo. Con el llavero y el zapato en la mano, exclama Elio: —¡Parece que somos más interesantes que la exposición!

CUESTIONARIO

1. ¿A qué hora llegan Elio y su padre a Chapultepec?
2. ¿Qué lleva Elio?
3. ¿En dónde entran los Marín antes de comer?
4. ¿Cuánto vale la entrada para muchos museos los domingos?
5. ¿Quién es Diego Rivera?
6. ¿Qué cogen las pinturas y los murales de Rivera?
7. ¿Qué le parece a Enrique la exposición?
8. ¿Dónde toman el almuerzo los Marín?
9. Después de comer, ¿qué hace Enrique?
10. ¿Por qué ya no tiene Enrique el llavero?
11. ¿Qué hace el padre de Enrique para obtener el llavero?
12. ¿Cómo obtiene Elio el llavero y el zapato?
13. ¿Quiénes miran a los Marín?

EJERCICIOS

A. *Repeat the following sentences substituting the indicated words and making any other necessary changes.*

1. Llegan a Chapultepec a las dos en punto.

   y diez / y cuarto / menos diez / y media / menos cuarto

2. Ellos se encuentran con los otros frente al Museo de Arte Moderno.

   Vd. / Nicté y yo / Tú / Los dos amigos / Yo

3. A <u>todos los mexicanos</u> les gustan las pinturas y los murales de Rivera.

los estudiantes / los Marín / todos los turistas / Juan y a Roberto / estas muchachas

4. Enrique, ¿qué te parece <u>la exposición</u>?

el almuerzo / las pinturas / el museo / los murales / este sitio

5. <u>A mí</u> me gusta mucho.

A él / A ella / A ellos / A Vd. / A nosotros

6. ¿Vas a <u>perderlo</u>?

sacudirlos / tirarlo / cogerlo / obtenerlo / llevarlo

7. <u>Enrique</u> no presta atención.

Yo / Nosotros / Vds. / Tú / Mi hermano y él

B. *Write the Spanish for the English sentence according to the model pair.*

1. They arrive at exactly two o'clock.
Llegan a las dos en punto.

They want to arrive at exactly four o'clock.
....

2. Admission is free on Sundays.
La entrada es gratuita los domingos.

When is admission free?
....

3. What do they think of the exhibition?
¿Qué les parece la exposición?

What do they think of the paintings?
....

4. They sit down under a tree.
Se sientan debajo de un árbol.

We sit down under a tree.
....

5. I can eat enough for an army.
   I have just eaten enough for an army.

   Puedo comer por cuatro.

   ....

6. After eating lunch, Enrique plays.
   Before eating lunch, Enrique wishes to play.

   Después de tomar el almuerzo, Enrique juega.

   ....

7. He continues to throw the keyring.
   He continues to catch the keyring.

   Sigue tirando el llavero.

   ....

8. She throws it three times without luck.
   We throw it three times without luck.

   Lo tira tres veces sin suerte.

   ....

9. He no longer has his keyring.
   She no longer has her shoe.

   Ya no tiene el llavero.

   ....

10. He does it without difficulty.
    Can he do it without difficulty?

    Lo hace sin dificultad.

    ....

C. *Fill in the blanks with the correct form of the verb in parentheses:*

1. Al ____ del museo, regresan a casa. (salir)

2. Sigue ____ a la gente. (mirar)

3. Les gusta ———. (jugar)

4. ¿Te ——— las pinturas? (gustar)

5. Todo el mundo ——— a tiempo. (llegar)

6. No tiene bastante dinero para ——— en el museo. (entrar)

7. ¡No ——— Vds. tanto! (comer)

8. Este lugar es bonito. ¡ ——— a sentarnos aquí! (ir)

9. Nicté y yo ——— ir al parque. (querer)

10. Antes de ——— el almuerzo, ellos ven la exposición. (tomar)

1 2
La llegada de Luis

Los días pasan rápidamente. Termina el año escolar. Elio y sus hermanos están ocupados preparando para la visita de Luis. Por fin llega el día, el veinte y cinco de junio. El avión de Luis va a aterrizar[1] a las cinco y media de la tarde.

Hace mucho tiempo que ellos tienen ganas de ir al aeropuerto a encontrarse con Luis. Elio insiste en salir de casa bien temprano para no llegar tarde. Sus hermanos quieren tener tiempo de ver el aeropuerto porque van allá por primera vez. Antes de salir Elio recuerda su carta a Luis y se pone un suéter rojo.

En vez de[2] ir en autobús, deciden tomar el metro*[3] porque les gustan mucho las estaciones nuevas y los trenes modernos. En camino del metro hablan de Luis.

—Estoy preocupada,— dice Nicté. —Acabo de pensar en algo muy importante, Elio. ¿Cómo va Luis a reconocernos? Probablemente va a haber mucha gente en el aeropuerto y . . .

[1]*aterrizar* to land
[2]*en vez de* instead of
[3]*metro* subway

—Ningún problema, Nicté. Luis ya sabe que voy a llevar un suéter rojo y que ustedes van a acompañarme.

—Estoy muy excitado,— dice Enrique. —Tengo grandes deseos de mostrar nuestra ciudad a Luis. ¿Adónde vamos a llevarlo esta noche? ¿A la Alameda o tal vez a un partido de fútbol[4] que se juega esta noche?

—Un momentito, hermanito,— dice Elio. —Es Luis quien debe decidir eso. Probablemente va a estar cansado esta noche después de su viaje. Se queda con nosotros por un mes. Va a tener tiempo de ir a muchos sitios durante sus vacaciones.

—También puedo hablar inglés con él. Dos o tres clases más en Chapultepec y voy a hablarlo casi tan bien como el español.

—¿Te crees eso, Enrique?— pregunta Nicté.

—¡Por supuesto! Te digo que pronto voy a hablar inglés como norteamericano.

Siguen hablando de Luis cuando entran en la estación. Es muy bella. Se parece a[5] un templo azteca. Mientras esperan el tren, se divierten con la música, las exposiciones de arte y la variedad de tiendas en la estación. Al sonido de una nota musical, se cierran las puertas de la estación y llega el tren. Los Marín tienen un viaje agradable al aeropuerto.

Hay mucha actividad en el aeropuerto. Los tres suben a la terraza para ver la llegada del avión. Muchas personas esperan allí; algunas llevan flores para presentar a los viajeros, tradición mexicana. A las cinco y media se anuncia el vuelo de Nueva York.

[4]*fútbol* soccer
[5]*Se parece a* It looks like

Aterriza el avión. Poco después los pasajeros bajan. Un muchacho alto de pelo moreno desciende la escalera. Mira hacia la terraza y ve a un muchacho de suéter rojo con dos personas más jóvenes. Está seguro de que son Elio y sus hermanos. Los saluda con la mano y los Marín saludan a Luis, su amigo del norte.

Notas culturales

Mexico City's luxurious subway system opened in 1969 after many years of planning and building. Its construction presented engineers with difficult problems, since Mexico City is built on the soft bed of an ancient lake and is located in an active earthquake zone. Work on the subway proceeded very slowly because hundreds of tons of objects of both Aztec art and Spanish Colonial civilization were unearthed and had to be treated with great care.

The new subway system is elegantly designed and equipped with the latest technological devices. At the entrance a passenger buys a magnetized ticket which is drawn into an electronic machine by air suction. This activates a turnstile, permitting the person to enter. The orange cars ride on rubber wheels, offering passengers a comfortable and noiseless ride.

CUESTIONARIO

1. ¿Por qué están ocupados Elio y sus hermanos?
2. ¿Cuál es la fecha de la llegada de Luis?
3. ¿Cómo van al aeropuerto?
4. ¿Por qué insiste Elio en salir temprano?
5. ¿Por qué se pone Elio un suéter rojo?
6. ¿Por qué está preocupada Nicté?
7. ¿De qué tiene Enrique grandes deseos?
8. ¿A qué se parece la estación?
9. ¿Con qué se divierten los Marín en la estación?
10. ¿Para qué suben a la terraza?
11. ¿Qué hace Luis al ver a Elio y sus hermanos?

EJERCICIOS

A. *Repeat the following sentences substituting the indicated words and making any other necessary changes.*

1. Elio insiste en salir de casa.

ir al aeropuerto / tomar el metro / ponerse un suéter rojo / subir a la terraza / llegar temprano

2. Él recuerda la carta.

Luis / Vds. / Tú / Nosotros / Yo

3. Él se pone un suéter rojo.

Yo / Tú / La muchacha / Vd. / Luis

4. La estación parece muy bella.

interesante / azteca / hermosa / elegante / linda

5. Está seguro de que llegan tarde.

salen temprano / son sus amigos / toman el metro / bajan del avión / vienen a tiempo

6. Todos suben a la terraza.

El profesor / Nosotros / Yo / Tú / Ella

7. Él ve a un muchacho en la terraza.

Nosotros / Vds. / Vd. y él / Tú / Yo

B. *Write the Spanish for the English sentence according to the model pair.*

1. They are busy preparing for the visit.

Están ocupados preparando para la visita.

We are busy preparing for the flight.

....

92

2. Instead of going by bus, they are going to take the subway.
Instead of taking the subway, they are going to walk.

En vez de ir en autobús, van a tomar el metro.

....

3. We must insist on leaving early.
We can insist on leaving early.

Tenemos que insistir en salir temprano.

....

4. Where are we going to take him tonight?
Where are they going to take him tonight?

¿Adónde vamos a llevarlo esta noche?

....

5. He puts on a red sweater.
He puts on a red hat.

Se pone un suéter rojo.

....

6. It is Luis who must decide that.
It is Luis who must think about that.

Es Luis quien debe decidir eso.

....

7. He remembers his letter to Luis.
He remembers the date.

Recuerda su carta a Luis.

....

8. It looks like an Aztec temple.
It looks like a large museum.

Se parece a un templo azteca.

....

C. *Develop the topics by using each phrase below them in a separate sentence:*

1. **La llegada de Luis**
   a. estar ocupado
   b. el veinte y cinco de junio
   c. salir de casa temprano

2. **El metro**
   a. estaciones nuevas y trenes modernos
   b. un templo azteca
   c. un viaje agradable

3. **En el aeropuerto**
   a. subir a la terraza
   b. llevar flores
   c. su amigo del norte

VOCABULARIO

adj.	adjective	*m.*	masculine
adv.	adverb	*p.p.*	past participle
conj.	conjunction	*pl.*	plural
f.	feminine	*prep.*	preposition
imp.	imperfect	*pret.*	preterite
inf.	infinitive	*rel. pron.*	relative pronoun
		s.	singular

A

a to, in, at

abrir to open

aburrido bored

acabar to finish, end; **acabar de** + *inf.* to have just

acerca de about

acostumbrado accustomed

actividad *f.* activity

actor *m.* actor

actriz *f.* actress

acuerdo agreement; **estar de acuerdo (con)** to be in agreement (with)

además besides, moreover

admirar to admire

¿adónde? where?, to where?

aeropuerto airport

aficionado fond; **ser aficionado a** to be fond of

agitado agitated, upset

agua *f.* water

aguacate *m.* avocado

ahora now; **ahora mismo** right now

aire *m.* air; **al aire libre** in the open air

al (a + **el)** to the, on, upon

albóndiga meatball

alegrarse (de) to be happy

alegre happy

alegría happiness, joy

algo something, somewhat

alguien somebody, someone

alguno, algún some

almorzar (ue) to eat lunch

almuerzo lunch; **tomar el almuerzo** to eat lunch

alquilar to rent

altura height, altitude
alumno student
allá there (with verb of motion)
allí there
amigo friend
animado lively, animated
antes before; **antes de** *prep.* before; **cuanto antes** as soon as possible
antiguo old, ancient, former
anunciar to announce
año year; **año escolar** school year; **cumplir (cuarenta y cinco) años** to reach one's (forty-fifth) birthday; **tener (veinte) años** to be (twenty) years old
aparcado parked
apenas scarcely, hardly
aprender to learn
aprovecharse (de) to take advantage (of)
aquel, aquella that; **aquellos, aquellas** those
aquí here; **por aquí** around here
árbol *m.* tree
arqueológico archeological
arqueólogo archeologist; **estudiar para arqueólogo** to study to be an archeologist
arte *m. f.* art

asistir (a) to attend
aterrizar to land
aunque although
autobús *m.* bus
automóvil *m.* automobile
autopista superhighway
autor *m.* author
avenida avenue
aventura adventure
avión *m.* airplane
ayuda help
ayudar to help
azteca *m. f.* Aztec

B

bailar to dance
baile *m.* dance
bajar to go down, to get out of, to lower
baño bathroom, bath
barato cheap
barbaridad *f.* barbarity, foolish thing
barrio district, section of a city
base *f.* base, basis
basílica basilica, shrine
bastante enough, rather
belleza beauty
bello beautiful
bien well
bistec *m.* steak
bonito pretty
bosque *m.* forest, park
botella bottle

bueno, buen good
burro donkey
buscar to look for

C

caballo horse
cacerola casserole
cada each, every
caer(se) to fall (down)
calmarse to calm oneself
calor *m.* heat; **hacer calor** to be hot (weather)
calle *f.* street
camino road, way; **en camino de** on the way to
camisa shirt
canción song
cansado tired
cantar to sing
cara face; **¡Qué cara!** What a face!
¡caramba! gosh!
carne *f.* meat
caro expensive
carro car
carta letter
casa house, home; **a casa** home
casarse to get married
casi almost
catorce fourteen
cazuela casserole, cooking pot; **Las Cazuelas** famous Mexican restaurant
celebrar to celebrate
cena supper
centro center, downtown

cerámica ceramics, pottery
cerámico ceramic
cerca nearby; **cerca de** near
cerrar (ie) to close
cerro hill
cesta basket
ciencia science
cima top, summit
cinco five
cine *m.* movie theater
cita date, appointment
ciudad *f.* city
claro bright, clear; **¡claro que sí!** of course!, certainly!
clase *f.* class; **compañero de clase** classmate
cliente *m.* client, customer
cocina kitchen
coger to catch, to capture
colonia district, neighborhood, colony
comedor *m.* dining room
comenzar (ie) a to begin to
comer to eat; **comer por cuatro** to eat enough for an army
comida meal
como as, like
¿cómo? how?
compañero companion; **compañero de clase** classmate
compra purchase; **ir de compras** to go shopping

comprar to buy
comprender to understand
común common
con with
conferencia lecture
confesar (ie) to confess
confusión *f.* confusion
conmigo with me
conocer to know, to meet (for the first time)
construir to construct, build
contar (ue) to count, tell
contento happy
contestar to answer, reply
contigo with you
continuar to continue
contrario contrary; **al contrario** on the contrary, on the other hand
corbata tie
correr to run
cosa thing
creer to believe, think
cuadra block; **a tres o cuatro cuadras de** three or four blocks from
¿cuál? (¿cuáles?) which?, what?, which ones?
cualquier(a) any, whatever
cuando when
¿cuándo? when?
cuanto as much as; **cuanto antes** as soon as possible
¿cuánto(s)? how much (many)?

cuarenta forty
cuarto room, quarter
cuatro four; **comer por cuatro** to eat enough for an army
cuenta check, bill; **darse cuenta de (que)** to realize (that)
cuento story
cuidado care; **con cuidado** carefully
cultura culture
cumpleaños *m. s.* birthday
cumplir (cuarenta y cinco) años to reach one's (forty-fifth) birthday
curiosidades *f.* arts and crafts, native handicrafts

CH

chocolate *m.* chocolate, hot chocolate
churro Spanish style fritter

D

dar to give; **dar las gracias** to thank; **darse cuenta de** to realize; **darse prisa** to hurry
de of, from, about, by, at
debajo de under, below
deber to owe, ought to, must; *m.* duty; *m. pl.* homework

decidido   decided; **lo de-cidido**   what is decided, decision
décimo   tenth
decir   to say, tell; **querer decir**   to mean
decorar   to decorate
dejar   to let, allow, leave
del (de + el)   of the
delicioso   delicious
demasiado   too, too much
departamento   apartment
derecho   right; **a la de-recha**   on the right
desayunarse   to eat break-fast
desayuno *m.*   breakfast; **to-mar el desayuno**   to eat breakfast
descansar   to rest
descender (ie)   to descend, go down
describir   to describe
descubierto *p.p. of* **des-cubrir**
descubrir   to discover
desde   from, since
desear   to desire, wish
desinflado   deflated, flat
despedirse (de) (i)   to say goodbye (to)
despertador *m.*   alarm clock
despertar(se) (ie)   to wake up, to awaken
después   afterward; **des-pués de**   after

día *m.*   day
diez   ten
diferencia   difference
difícil   difficult
dinero   money
dirección   direction, ad-dress
directamente   directly
discutir   to discuss
distrito   district; **Distrito Federal**   Federal District (Mexico City)
divertido   amusing
divertirse (ie, i)   to have a good time
doce   twelve
domingo   Sunday
donde   where
¿dónde?   where?
dormir (ue, u)   sleep
dos   two
durante   during

E

e   and
edificio   building
Egipto   Egypt
ejemplo   example; **por ejemplo**   for example
elegante   elegant
elevado   elevated, high
empezar (ie) (a)   to begin (to)

en in, on, at

encontrar (ue) to find, meet; **encontrarse con** to meet, encounter

encuentro encounter

enorme enormous

ensalada salad

enseñar to teach, show

entonces then

entrada entrance, admission

entrar to enter; **entrar en** to go into

entusiasmo enthusiasm

es *3rd s. pres. of* **ser**; **es que** the fact is

escalera stairway

escalón *m.* step

escapar to escape

escena scene

escoger to choose

escolar *adj.* school; **año escolar** school year

escribir to write

escritorio writing desk

escuchar to listen

escuela school

ese, esa that; **esos, esas** those

eso that; **a eso de** at about

español *m.* Spanish, Spaniard

especial special

especializarse en to specialize in, major in

especialmente specially

esperar to hope, expect, wait for

espíritu spirit

esposa wife

esposo husband

estación station; **estación de servicio** service station, gas station

Estados Unidos United States

estante *m.* shelf

estar to be; **estar de acuerdo** to agree with

este, esta this; **estos, estas** these

éste, ésta this one, the latter; **éstos, éstas** these, the latter

estimado esteemed, dear

esto this

estructura structure

estudiante student

estudiar to study; **estudiar para arqueólogo** to study to be an archeologist

estudio study

estupendo stupendous

exactamente exactly

exceder to exceed

excitado excited

exclamar to exclaim

experiencia experience

explicar to explain

exposición exhibition

extremadamente extremely

F

fácil easy
fácilmente easily
familia family
famoso famous
favor *m.* favor; **por favor** please
fecha date
feliz happy
ferrocarril *m.* railroad
figurilla small figure
fin *m.* end; **por fin** finally; **a fines de** at the end of
finalmente finally
flan *m.* Spanish style custard
flor *f.* flower
folklórico folkloric
forma form; **en forma de** in the shape of
francamente frankly
frecuentemente frequently
frente *m.* front, forehead; **frente a** in front of
frío cold; **hacer frío** to be cold weather
fruta fruit
fútbol *m.* soccer

G

gana desire; **tener ganas de** to feel like, to be eager to

ganar to win, earn
gastar to spend
gato cat
generalmente generally
generoso generous
gente *f.* people
gerente *m.* manager
gozar (de) to enjoy
gracia grace; *pl.* thanks; **dar las gracias** to thank
grande, gran large, great
gratuito free of charge
gritar to shout
grupo group
guía *m.* guide
guitarra guitar
gustar to please
gusto pleasure, taste; **con mucho gusto** gladly, with much pleasure

H

habitación room
habitante *m.* inhabitant
hablar to speak, talk
hacer to do, to make; **hace (mucho tiempo)** (a long time) ago; **hace mucho tiempo que** for a long time; **hacer buen tiempo** to be good weather; **hacer calor (frío)** to be hot (cold); **hacer el papel** to play the role; **hacer una**

pregunta to ask a question

hallar to find

hambre *f.* hunger; **tener hambre** to be hungry

hasta until, up to, even

hay there is, there are; **hay (mucho) que hacer** there is (a lot) to do

hermana sister

hermanito little brother, dear brother

hermano brother

hija daughter

hijo son

historia history

histórico historical

hombre man

hora hour, time; **hora de** time to; **¿a qué hora?** at what time?

hoy today

huachinango red-snapper

I

iglesia church

imaginar(se) to imagine

impermeable *m.* raincoat

importancia importance

inconveniente *m.* objection, difficulty; **ver inconveniente en** to see an objection to

independencia independence

indio Indian

influencia influence

inglés *m.* English

insistir (en) to insist (on)

interés *m.* interest

interesante interesting

invierno winter

ir to go; **ir a** + *inf.* to be going to; **ir a pie** to walk; **ir de compras** to go shopping

izquierdo left; **a la izquierda** on the left

J

jai alai *m.* a game in which players throw a ball from a curved basket

joven young man, young woman; *adj.* young

jugar (ue) to play

juguete *m.* toy

junio June

juntos together

L

la the; her, it, you

las the; them, you

lavar(se) to wash

le to you, to him, to her

lección lesson

leer to read

lejos distant, far

lengua language, tongue

les to them, to you

levantarse to get up, stand up

libre free; **al aire libre** in the open air

libro book

limpiar to clean

limpieza cleaning, cleanliness

limpio clean

lío mess, mix-up

listo ready

lo the; him, it, you; **lo que** that which, what

los the, them, you

lucha fight, struggle

luego then

lugar *m.* place

luna moon; **luna de miel** honeymoon

LL

llamar to call; **llamarse** to be called, to be one's name

llanta tire; **llanta desinflada** flat tire

llavero key chain

llegada arrival

llegar to arrive

lleno full, filled

llevar to carry, wear

llover (ue) to rain

M

madre mother

magnífico magnificent

malo, mal bad

mañana morning; *adv.* tomorrow; **de (por) la mañana** in the morning; **el domingo por la mañana** Sunday morning

maravilloso marvelous

mariachi *m.* Mexican musician

marido husband

más more; **más de** more than; **no más que** only, not more than

máximo maximum; **velocidad máxima** speed limit

maya *m. f.* Indian tribe of Mexico; Mayan

mayo May

mayor greater, greatest, older, oldest; **la mayor parte** most, the greater part

me me, to me, myself

medio half

mediodía *m.* noon, midday

mejor better, best

menor younger, youngest, smaller, smallest

menos less, least, fewer

menudo: a menudo often

mercado market

mes *m.* month

mesa table
metro meter (39.37 inches); subway
mexicano Mexican
mi my
mí me, myself
miedo fear; **tener miedo** to be afraid
miembro member
mientras while
mil one thousand
millón *m.* million
minuto minute
mirar to look at
mismo same; **ahora mismo** right now
moderno modern
moreno dark, dark brown
mostrar (ue) to show
mucho much, a lot; *pl.* many
mujer woman
mundo world; **todo el mundo** everybody
muralista *m.* muralist
museo museum
música music
músico musician
muy very

N

nada nothing
nadie no one, nobody
nahuatl *m.* an Indian language
necesitar to need

ni neither, nor
niña girl
niño boy
noche *f.* night; **esta noche** tonight
nombre *m.* name
norteamericano North American, citizen of the United States
nos us, to us, ourselves
nosotros we, us
nota *f.* note, mark; **sacar una nota** to receive a grade
notar to notice, note
novecientos nine hundred
nuestro our
nueve nine
número number
nunca never

O

objeto object
obtener to obtain
ocupado occupied, busy
ocupar to occupy
ocurrir to happen, occur
ochenta eighty
ocho eight
oir to hear
olvidarse (de) to forget
once eleven
oportunidad *f.* opportunity
orgulloso proud
otro other, another; **otra vez** again

P

padre father
pagar to pay
página page
país *m.* country
paja straw
palabra word
paloma dove; **"La Palo-ma"** song popular in Mexico
pan *m.* bread
papel *m.* paper, role; **hacer el papel** to play the role
para for, in order to, to; **¿para qué?** for what?
paraguas *m. s. pl.* umbrella
parar to stop
parecer to seem, appear; **¿qué te parece . . .?** what do you think of . . .?; **parecerse a** to look like
parque *m.* park
parte *f.* part; **la mayor parte** most, the greatest part; **tomar parte en** to take part in
partido game, match
partir to depart, leave
pasaje *m.* carfare
pasajero passenger
pasar to pass, to happen, to spend (time)
pedir (i) to ask for, request, order (a meal)
película film

pelo hair
pender to hang (from)
pensar (ie) to think, intend; **pensar en** to think about
pequeño little, small
perder (ie) to lose
perdonar to pardon, excuse
período period, epoch
permiso permission; **con permiso** with your permission, pardon me
pero but
perro dog
persona person
pesero a type of taxi in Mexico
peso Mexican coin worth eight cents
picante spicy, piquant, hot
pico a small amount; **Son las once y pico.** It is a little after eleven.
pie *m.* foot; **ir a pie** to walk
piedra stone
pintar to paint; *p.p.* **pintado**
pintura painting
piñata an elaborately decorated figure with a clay pot inside
pirámide *f.* pyramid
plano plan, layout
plato plate, dish
plaza plaza, square

pobre poor, miserable, unfortunate

poco little; *pl.* few; **poco a poco** little by little

poder (ue) to be able, can

pollo *m.* chicken

poner to put, place; **poner la radio** to put on the radio; **ponerse** to put on

por for, by, through; **por favor** please; **por fin** finally, at last; **por la mañana** in the morning; **por primera vez** for the first time; **¿por qué?** why?

porque because

precio price

preferir (ie, i) to prefer

pregunta question; **hacer una pregunta** to ask a question

preguntar to ask

preocupado worried

preparar to prepare

presentar to introduce, present

prestar to lend

primaria primary school, grade school

principio beginning

prisa haste; **darse prisa** to hurry

problema *m.* problem

profesor teacher

programa *m.* program

pronto soon, quickly

propio own

próximo next; **la próxima semana** next week

puerta door

puesto stand

punto point, dot; **en punto** on the dot, exactly

puro pure

Q

que *rel. pron.* who, which, that, whom; *adv.* than, as; *conj.* that

¿qué? what?, which?; **¿qué tal?** how are you?, what about . . . ?; **¿qué te parece . . . ?** what do you think of . . . ?; **¿para qué?** for what?; **¿por qué?** why?; **¡qué + n.!** what a + n.!; **¡qué + adj.!** how + adj.!

quedar(se) to remain, to stay

quehacer *m.* chore

querer (ie) to wish, want, love; **querer decir** to mean

quien who, whom

¿quién? who? whom?

quince fifteen

R

radio *f.* radio; **poner la radio** to put on the radio

rama branch
rápidamente rapidly, quickly
razón *f.* reason tener razón to be right
realidad *f.* reality; en realidad in reality, really
rebozo shawl
recibir to receive
reconocer to recognize
recordar (ue) to remember, recall
reducido reduced
refresco refreshment, soft drink
regalito small gift
regalo gift, present
regresar to return
reir (i) to laugh
reloj *m.* watch, clock
relojería watch store
relojero watchmaker
reparar to repair
repente: de repente suddenly
responder to reply, answer
restaurante *m.* restaurant
reunión *f.* meeting
rico rich
rodear to surround
romper to break
roto *p.p. of* romper broken
ruido noise
ruina ruin
ruta route

S

sábado Saturday; el sábado por la mañana on Saturday morning
saber to know, know how to
sacar to get, take out; sacar una nota to receive a grade
sacudir to shake
sala living room, room
salir (de) to leave, depart; salir a to go out in (to)
salsa sauce
saltamontes *m. s.* grasshopper
saludar to greet; saludar con la mano to wave
sarape *m.* serape
satisfecho satisfied
se yourself, himself, herself, itself, yourselves, themselves; to him, to her, to it, to you, to them
sé *1st s. pres. of* saber
sección *f.* section
secundaria *f.* secondary school, high school
seguida: en seguida immediately
seguir (i) to follow, continue
segundo second
seguro sure, certain
seis six

selección *f.* selection, choice

semana week; **la próxima semana** next week

sentado seated, sitting

sentarse (ie) to sit down

sentir (ie, i) to feel, to feel sorry

señor gentleman, sir, mister

señora lady, madam

señores gentlemen, Mr. and Mrs.

señorita miss, young lady

ser to be; **ser aficionado a** to be fond of

serio serious

servicio service; **estación de servicio** service station, gas station

servir (i) to serve; **servir de** to serve as

sesenta sixty

setenta seventy

si if, whether

sí yes

siempre always

siete seven

siguiente following; **al día siguiente** on the following day

simpático pleasant, agreeable

sin without

sistema *m.* system

sitio place, site

situado situated

sobre on, about, above, concerning

sol *m.* sun

solamente only

solo single, alone

sólo only

sombrero hat

somos *1st pl. pres. of* **ser**

son *3rd pl. pres. of* **ser**

sonar (ue) to sound, ring

sorprendido surprised

sorpresa surprise

soy *1st s. pres. of* **ser**

su his, her, its, your, their

subir (a) to go up, climb up; to get into (a vehicle)

suéter *m.* sweater

suelo ground, floor

suerte *f.* luck, chance; **tener suerte** to be lucky

supuesto: por supuesto of course

T

taco ground meat and vegetables wrapped in a tortilla

tal such, such a; **tal vez** perhaps; **¿qué tal?** how are you? what about . . . ?

también also

tan so; **tan . . . como** as . . . as

tanto so much; *pl.* so many

tarde *f.* afternoon; *adv.* late

tarea task

taxi *m.* taxi

taza cup

te you, to you, yourself, to yourself

tema *m.* topic, theme, subject

templo temple

temprano early

tener to have; **tener (veinte) años** to be (twenty) years old; **tener deseos de** to want to, be anxious to; **tener ganas de** to feel like, to be eager to; **tener miedo** to be afraid; **tener que** to have to; **tener razón** to be right; **tener suerte** to be lucky; **tener vergüenza** to be ashamed

tengo *1st sing. pres. of* **tener**

Teotihuacán town where the Pyramids of the Sun and the Moon are located

terminar to end

terraza terrace, observation platform

tiempo time, weather; **a tiempo** on time; **hace mucho tiempo que** for a long time; **hacer buen (mal) tiempo** to be good (bad) weather

tienda store, shop

timbre *m.* bell

típico typical

tirar to throw, toss

título title

tocar to play (an instrument), touch

todavía still, yet

todo all, every, everything; *pl.* everybody; **todo el mundo** everybody; **todos los años** every year; **todos los días** every day; **se vende de todo** everything is sold

tomar to take, drink; **tomar el almuerzo** to eat lunch; **tomar el desayuno** to eat breakfast; **tomar parte en** to take part in

tomate *m.* tomato

trabajar to work

traer to bring

tratar to try; **tratar de** to try to

treinta thirty

tren *m.* train

tres three

tribu *f.* tribe

triste sad

tu your

tú you

turista *m. f.* tourist

U

un, una, uno a, an, one; *pl.* some

unido united; **los Estados Unidos** the United States
universidad *f.* university
universitario (pertaining to the) university
uno, un one; *pl.* some; **uno a uno** one by one
usar to use

V

va *3rd s. pres. of* **ir**
vacaciones *f. pl.* vacation
valer to be worth, to cost; **¿cuánto vale?** how much is it?
vamos *1st pl. pres. of* **ir**; **vamos a** + *inf.* let's
van *3rd pl. pres. of* **ir**
variedad *f.* variety
varios several
vas *2nd s. pres. of* **ir**
vaso glass
vecino neighbor
veinte twenty
velocidad *f.* velocity, speed; **velocidad máxima** speed limit
vendedor *m.* seller, merchant
vender to sell; **se vende de todo** everything is sold
ventana window
ver to see
verano summer

verdad *f.* truth; **¿no es verdad?** isn't it true?
verdadero true
vergüenza shame; **tener vergüenza** to be ashamed
vestirse (i) to get dressed
vez time, occasion; **en vez de** instead of; **otra vez** again; **por primera vez** for the first time; **tal vez** perhaps; **a veces** at times
viajar to travel
viaje *m.* trip
viajero *m.* traveler
vida life
visita visit
vivir to live
vivo bright, alive
volver (ue) to return
voy *1st s. pres. of* **ir**

Y

y and
ya already, now; **ya no** no longer
yo I

Z

zapato shoe
zócalo main square
zona zone